D1576824

©1999, TEXTO EDITORES, LDA.
Rua Cidade de Córdova, n.º 2
2610-038 Alfragide – Portugal

TÍTULO O Meu Primeiro Dicionário - Português
EDITOR TEXTO EDITORES, LDA.
COORDENAÇÃO TEXTO EDITORES, LDA.
CAPA ARTÉRIA, S.A.
PRÉ-IMPRESSÃO LEYA, SA
IMPRESSÃO E ACABAMENTOS EIGAL

Lisboa, Junho de 2008 | 4.ª edição | ISBN 978-972-47-1546-9 | Depósito legal n.º 277 882/08

UNIVERSAL

Texto

ÍNDICE

A Família 4

A Casa 5

A Cozinha 6

O Quarto 8

A Casa de Banho 9

A Sala 10

A Rua 12

A Escola 14

A Festa 16

O Restaurante 18

O Escritório 19

O Supermercado 20

A LOJA DE ROUPA 22

O HOSPITAL 24

A ESTAÇÃO DE COMBOIOS 26

A OFICINA 27

A CONSTRUÇÃO 28

O AEROPORTO 30

O PORTO 31

O PARQUE 32

ANIMAIS SELVAGENS 34

A QUINTA 36

A PRAIA 38

O CAMPO 40

AS ESTAÇÕES DO ANO .. 42

ANIMAIS DE ESTIMAÇÃO . 44

O CORPO HUMANO 45

PROFISSÕES 46

DESPORTOS 48

O CIRCO 50

O TEMPO 51

CORES, NÚMEROS
E FORMAS 52

ACÇÕES 54

OS OPOSTOS 56

ÍNDICE ALFABÉTICO 58

A Família

A Casa

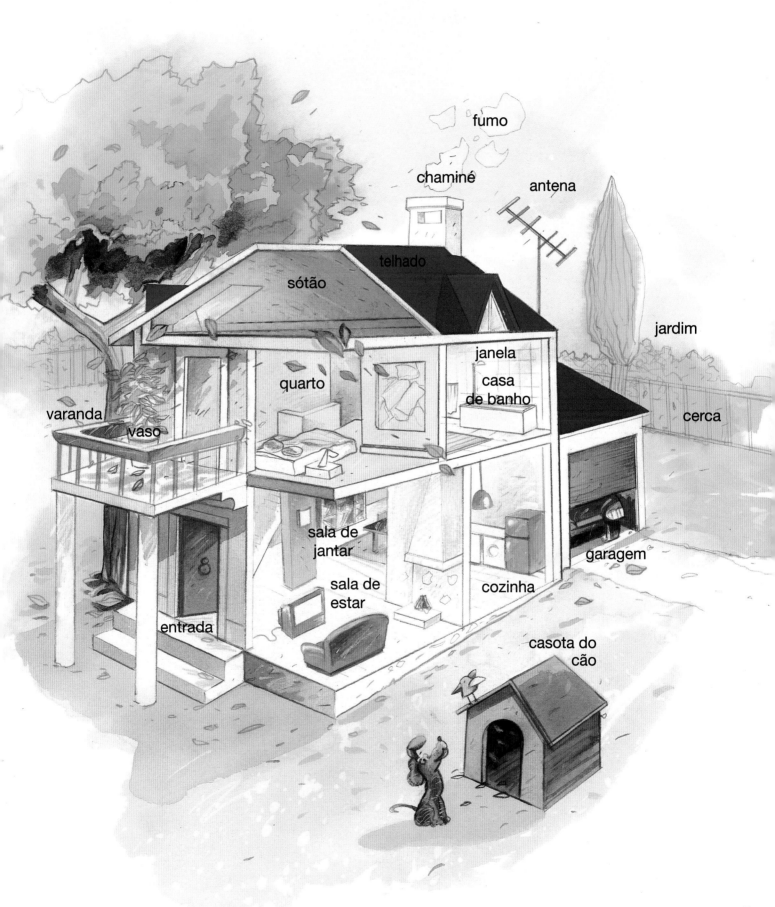

fumo

chaminé

antena

telhado

sótão

jardim

janela

quarto

casa
de banho

varanda

vaso

cerca

sala de
jantar

garagem

sala de
estar

cozinha

entrada

casota do
cão

A Cozinha

relógio

chaleira

panela

garrafeira

fogão

chaminé

armário

balde do lixo

lava-loiças

abre-latas

máquina de
lavar roupa

tabuleiro

vaso

azulejos

pratos

pano do pó

garrafa

6

avental

detergente

rolo da massa

bolo

copos

esfregona

chávenas

frigorífico

escova

colher

ferro de engomar

faca

garfo

torradeira

banco

pá do lixo

frigideira

tábua de engomar

gaveta

vassoura

O Quarto

interruptor

lençol

avião de papel

cabide

travesseiro

despertador

mesa de cabeceira

roupeiro

banco

urso de peluche

candeeiro

tapete

tambor

bola

pijama

chinelos

cama

A Casa de Banho

papel higiénico

champô

esponja

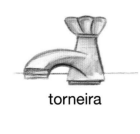
espelho

balança

toalha

pato de borracha

sabonete

sanita

torneira

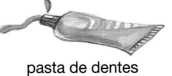
pasta de dentes

chuveiro

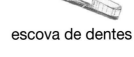
escova de dentes

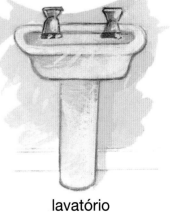
lavatório

9

A Sala

jarro de sumo

cadeira

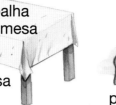
toalha de mesa

mesa

sal

novelo de lã

pão

quadro

porta

televisão

videogravador

aparelhagem

revista   jornal

discos compactos

colunas altifalantes

poltrona

sofá

telefone

10

jarra de flores

tomada de electricidade

alcatifa

uvas

bananas

ananás

laranja

maçã

queijo

fruteira

candeeiro

livros

prateleiras

cassete de vídeo

moldura

lareira

pimenta

almofadas

A Rua

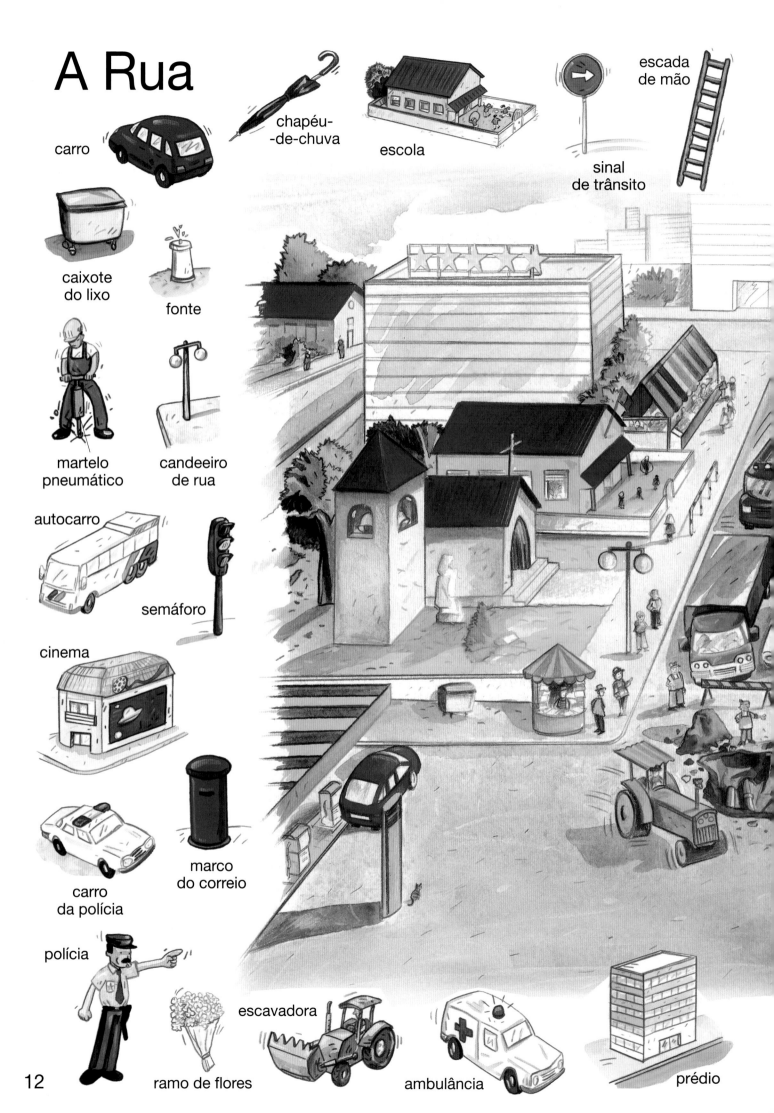

carro

chapéu-de-chuva

escola

escada de mão

sinal de trânsito

caixote do lixo

fonte

martelo pneumático

candeeiro de rua

autocarro

semáforo

cinema

marco do correio

carro da polícia

polícia

ramo de flores

escavadora

ambulância

prédio

12

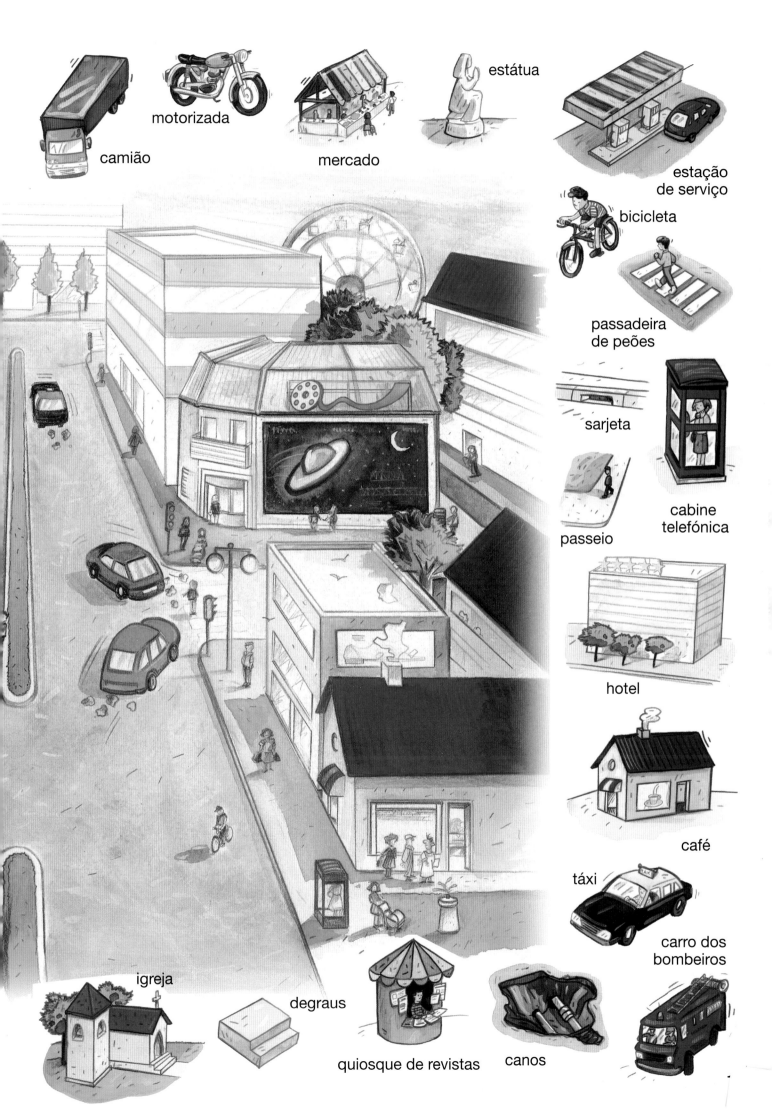

camião

motorizada

mercado

estátua

estação de serviço

bicicleta

passadeira de peões

sarjeta

cabine telefónica

passeio

hotel

café

táxi

carro dos bombeiros

igreja

degraus

quiosque de revistas

canos

A Escola

régua

esquadro

compasso

professor

borracha

estojo

globo terrestre

caderno

livro

caneta

mochila

pincel

computador

desenho

paleta

planta

giz

cola

aquário

afia-lápis

lápis

quadro negro

cesto
dos papéis

marcadores

secretária

tesoura

caixa

recortes

tachas

fita-cola

papel

tintas

puzzle

15

A Festa

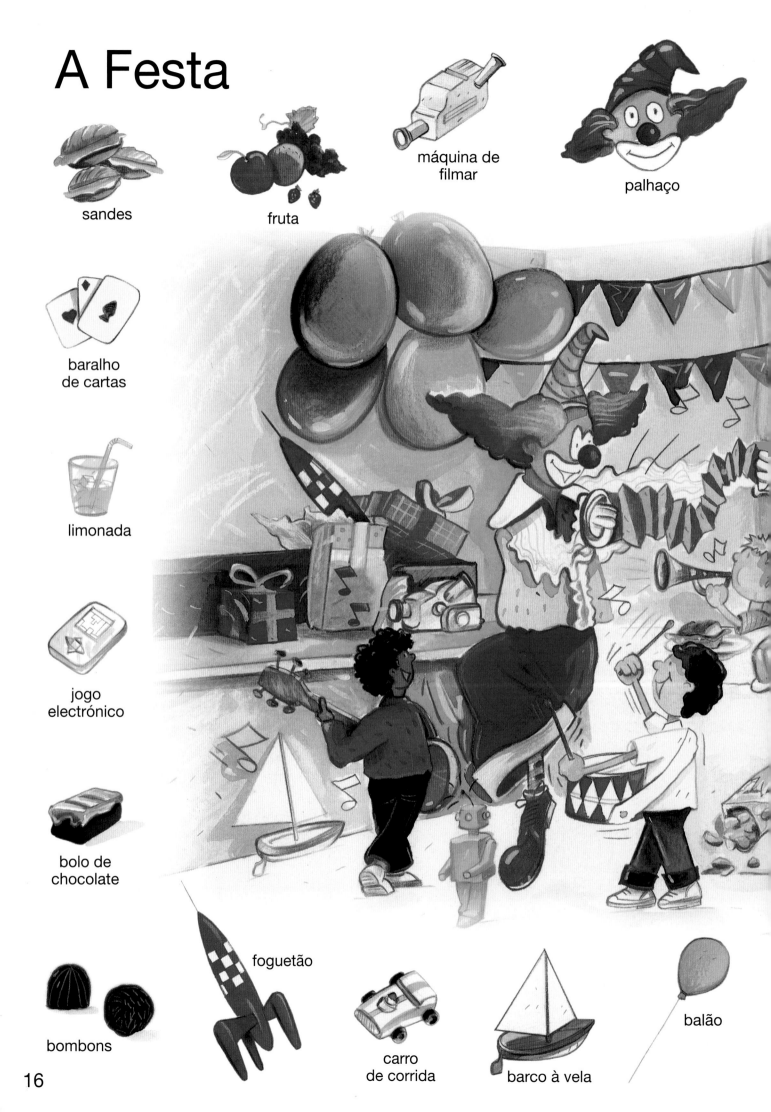

sandes

fruta

máquina de filmar

palhaço

baralho de cartas

limonada

jogo electrónico

bolo de chocolate

bombons

foguetão

carro de corrida

barco à vela

balão

16

rebuçados

batatas fritas

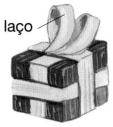

corneta

laço

presente

palhinhas

máquina
fotográfica

sumo

fantoche

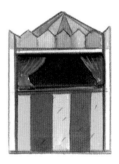

teatro de
fantoches

robô

bolo de
aniversário

velas

guitarra

pudim

17

O Restaurante

água

sobremesas

azeite

vinagre

arroz

salada

presunto

ementa

empregado
de mesa

peixe

biscoitos

bife

cerveja

manteiga

esparguete

gelado

compota

salsichas

sopa

vinho

guardanapo

O Escritório

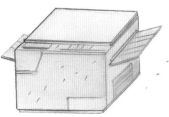

fotocopiadora

documentos

envelopes

arquivador

pasta

secretária

impressora

calculadora

cofre

ecrã

teclado

CD-ROM

agenda

estante

chave

disquete

esferográficas

agrafador

furador

lista
telefónica

O Supermercado

cesto

alface

cenoura

ovo

cebola

tomate

abóbora

ervilhas

carro de compras

carne

limões

cereais

milho

morango

batatas

figos

peras

preços

pêssegos

1,99€

50€

bolachas

açúcar

melões

cogumelos

feijões

pimentos

cerejas

couve

dinheiro

caixa registadora

2+1

letreiro

iogurte

cliente

lata de conservas

saco de compras

etiquetas

ameixas

pepino

farinha

A Loja de Roupa

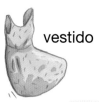
vestido

sapatos

cachecol

saia

gabardina

cinto

chapéu

calças

t-shirt

blusão

laço

relógio
de pulso

gorro

colar

luvas

pulseira

brincos

balcão

22

sobretudo

botas

calções

meias

casaco de lã

mala

lenço

boné

botões

gravata

sandálias

manequim

camisa de dormir

fato-de--banho

colete

agulha

ténis

fato

montra

O Hospital

ligadura

gráfico

medicamento

estetoscópio

termómetro

algodão

enfermeira

lenços de papel

gesso

jornais

revistas

penso rápido

comprimidos

boneco de peluche

24

elevador

cadeira
de rodas

cartaz

muletas

cortina

gaze

seringa

pantufas

radiografia

roupão

médico

cartão de
melhoras

paciente

régua de altura

carrinho
de bebé

A Estação de Comboios

máquina
de bilhetes

locomotiva

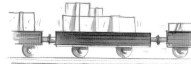
vagão de carvão

passageiros

maquinista

horário

expositor
de postais

caixa de
correio

cabine

bilheteira

comboio de mercadorias

postais

carro de bagagem

carruagens

carris

comboio

revisor

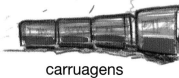
carruagem-restaurante

cais

quiosque

A Oficina

pára-choques

extintor

bateria

bomba
de gasolina

mecânico

espelho
retrovisor

alicate

volante

caixa
de ferramentas

parafusos

chave
de fendas

cinto
de segurança

pneu

tubo de escape

chave-inglesa

pára-brisas

capota

faróis

motor

roda

A Construção

picareta

lata de tinta

andaime

berbequim

telhas

fios eléctricos

carrinho de mão

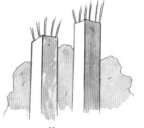

alicerces

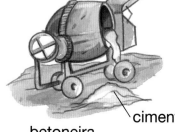

betoneira

cimento

grua

capacete de protecção

serrote

tijolos

pá

tábuas de madeira

pregos

martelo

pedreiro

29

O Aeroporto

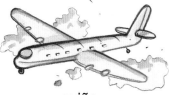
avião

trem de aterragem

torre de controlo

radar

turbina

pista

luzes de aterragem

bagagem

helicóptero

cauda

asa

bilhete

hélice

manga de vento

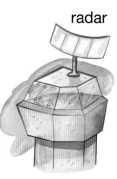
piloto

passaporte

hospedeira

30

O Porto

pescador

peixe

barco à vela

corda

rede de pesca

barco a remos

remo

bóia

farol

gaivota

escotilha

âncora

colete salva-vidas

barco de pesca

guindaste

mastro

vela

leme

31

O Parque

balão

escorrega

mangueira

baloiço

jardineiro

folhas

triciclo

sobe-
-e-desce

pássaros

piquenique

ciclista

rã

lago

pato

patinho

cisne

patins

skate

banco de jardim

corredor

criança

fonte

árvore

relva

borboleta

arbustos

caracol

33

Animais Selvagens

leão e crias

canguru

coala

urso polar

crocodilo

panda

girafa

avestruz

zebra

tubarão

foca

lobo

pantera negra

macaco

cobra

leopardo

pelicano

elefante

gorila

castor

pinguim

guaxinim

hipopótamo

rinoceronte

flamingo

tigre

camelo

35

A Quinta

vaca

ovelha

coelho

carroça

agricultor

cabra

galinha

pintainhos

cegonha

tractor

feno

ninho

burro

trigo

estábulo

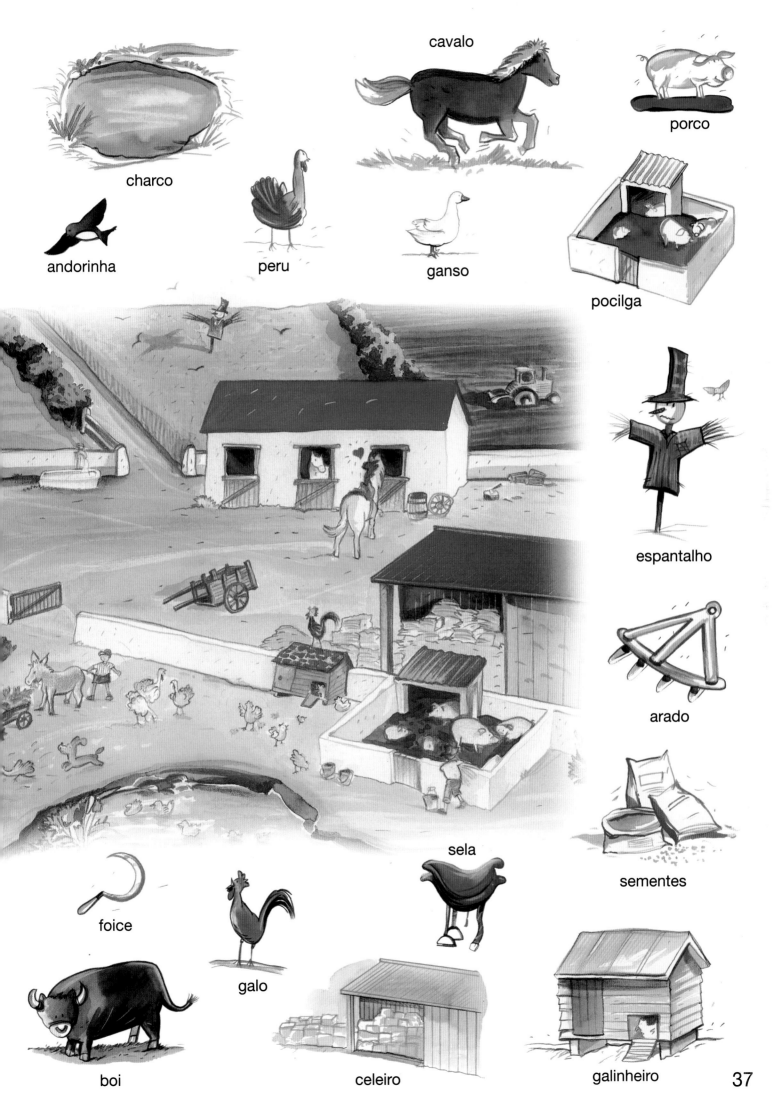

charco

cavalo

porco

andorinha

peru

ganso

pocilga

espantalho

arado

sementes

sela

foice

galo

boi

celeiro

galinheiro

37

A Praia

mar

pá

bola de praia

telescópio

navio

chapéu-
-de-sol

castelo
de areia

balde

estrela-do-mar

palmeira

barbatanas

seixos

toalha de praia

biquíni

conchas

rochas

óculos de sol

38

bóia

caranguejo

canoa

ondas

algas

areia

prancha à vela

geleira

cadeira de praia

chapéu de palha

colchão insuflável

búzio

creme protector

óculos
de mergulho

nadador

ilha

barco a motor

39

O Campo

joaninha

ninho

tenda de campismo

mosca

lanterna

binóculos

ouriço-cacheiro

tronco

ponte

fogueira

rio

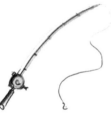
cana de pesca

pirilampo

cantil

caminho

aldeia

abelha

lagarto

40

churrasco

esquilo

montanha

libélula

moinho de vento

veado

coruja

queda de água

pinha

asa delta

fogão de campismo

sapo

caravana

texugo

floresta

41

As Estações do Ano

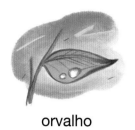

orvalho

vento

sol

lua

Primavera

Verão

nuvens

relâmpagos

brisa

arco-íris

neblina

nevoeiro

geada

Outono

Inverno

chuva

neve

bola de neve

poça de água

gelo

boneco de neve

43

Animais de Estimação

canário

periquito

gaiola

coelho

cão

cachorro

peixe

tartaruga

papagaio

sapo

hamster

gato

gatinho

poleiro

rato

leite

44

O Corpo Humano

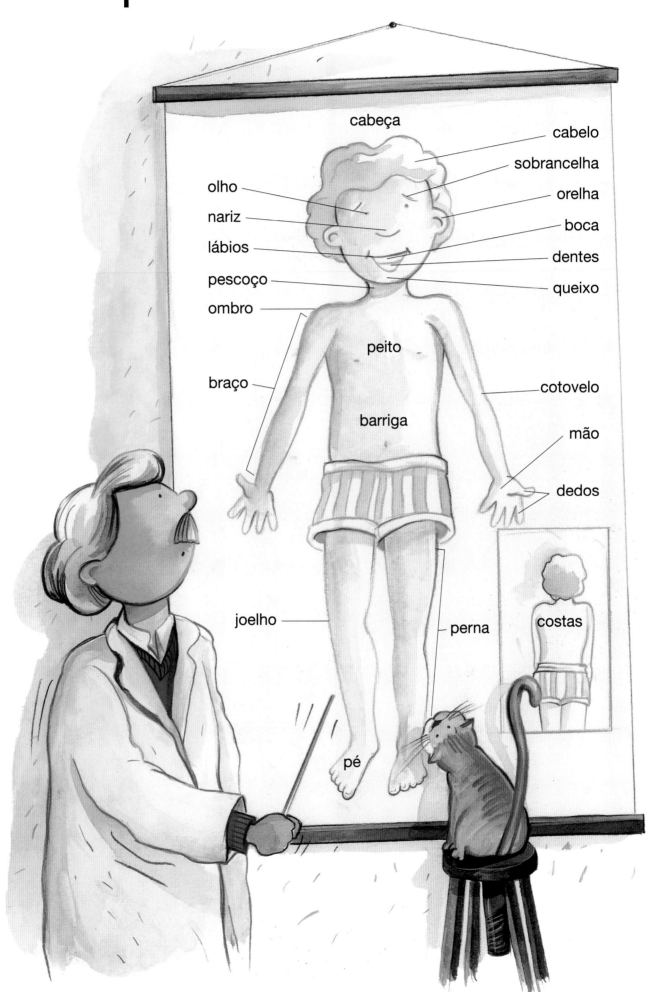

Profissões

astronauta

bailarina

actor

actriz

realizador

piloto

desenhador

lenhador

mineiro

electricista

programador

cientista

polícia

bombeiro

pintor

dentista

médica

cantora   cantor

veterinário

alfaiate

juiz

oleiro

músico

fotógrafo

canalizador

mecânico

carteiro

camionista

padeiro

Desportos

basquetebol

judo

windsurf

mergulho

taco

basebol

boxe

râguebi

futebol

andebol

parapente

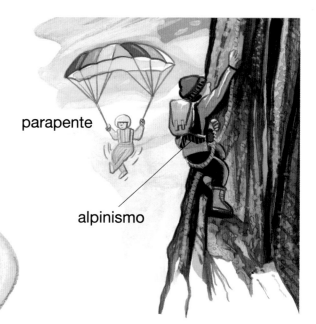
alpinismo

pesca

ginástica

ciclismo

48

salto em altura

hóquei em patins

badminton

corrida

equitação

motociclismo

karaté

ténis de mesa

saltos para a água

automobilismo

ténis

raqueta

natação

árbitro

esgrima

rede

voleibol

49

O Circo

tenda de circo

trapezista

holofotes

vara

equilibrista

acrobatas

arame

cordas

monociclista

malabarista

apresentador
do circo

cartola

varinha
mágica

microfone

mágico

pipocas

algodão-doce

público

O Tempo

meio-dia

duas e um quarto

três e meia

um quarto
para as seis

Cores, Números e Formas

cilindro

círculo

triângulo

losango

rectângulo

oval

cone

quadrado

esfera

estrela

quarenta

cubo

cinquenta

1 milhão

1000000

1000

mil

100

cem

trinta

vinte

sessenta

setenta

oitenta

noventa

53

Acções

cozinhar

entrar sair

acordar

acenar

empurrar

espirrar

encher

beber

ler

subir

comer

descer

escrever

estudar

cortar

entornar

lançar

partir

cair

colar

dormir

eo ouço = ik luister
ouve = hij luistert

ouvir

puxar

dançar

saltar

guiar

cantar

correr

andar

esquiar

rir

procurar

apanhar

chorar

Os Opostos

primeiro

último

molhado

seco

mau

bom

gordo magro pequeno grande

duro

mole

em cima em baixo rápido lento baixo alto

macio áspero

feio bonito

feliz triste

56

cheio

vazio

igual

diferente

esquerda

direita

frio

muito

pouco

quente

novo

escuro

claro

velho

fechado

aberto

sobre

debaixo

sujo

limpo

perto

longe

ÍNDICE ALFABÉTICO

A

abelha 40
aberto 57
abóbora 20
abre-latas 6
Abril 51
acenar 54
acordar 54
acrobatas 50
actor 46
actriz 46
açúcar 21
afia-lápis 15
agenda 19
Agosto 51
agrafador 19
agricultor 36
água 18
agulha 23
alcatifa 11
aldeia 40
alface 20
alfaiate 47
algas 39
algodão 24
algodão-doce 50
alicate 27
alicerces 28
almofadas 11
alpinismo 48
alto 56
amarelo 52
ambulância 12
ameixas 21
ananás 11
âncora 31
andaime 28
andar 55
andebol 48
andorinha 37
antena 5
apanhar 55
aparelhagem 10

apresentador
   do circo 50
aquário 15
arado 37
arame 50
árbitro 49
arbustos 33
arco-íris 42
areia 39
armário 6
arquivador 19
arroz 18
árvore 33
asa 30
asa delta 41
áspero 56
astronauta 46
autocarro 12
automobilismo 49
avental 7
avestruz 34
avião 30
avião de papel 8
avó 4
avô 4
azeite 18
azul 52
azulejos 6

B

badminton 49
bagagem 30
bailarina 46
baixo 56
balança 9
balão 16, 32
balcão 22
balde 38
balde do lixo 6
baloiço 32
bananas 11
banco 7, 8
banco de jardim 33

baralho de cartas 16
barbatanas 38
barco a motor 39
barco a remos 31
barco à vela 16, 31
barco de pesca 31
barriga 45
basebol 48
basquetebol 48
batatas 20
batatas fritas 17
bateria 27
bebé 4
beber 54
berbequim 28
betoneira 28
bicicleta 13
bife 18
bilhete 30
bilheteira 26
binóculos 40
biquíni 38
biscoitos 18
blusão 22
boca 45
boi 37
bóia 31, 39
bola 8
bolachas 20
bola de neve 43
bola de praia 38
bolo 7
bolo de aniversário 17
bolo de chocolate 16
bom 56
bomba de gasolina 27
bombeiro 46
bombons 16
boné 23
boneco de neve 43
boneco de peluche 24
bonito 56
borboleta 33

borracha 14
botas 23
botões 23
boxe 48
braço 45
branco 52
brincos 22
brisa 42
burro 36
búzio 39

C

cabeça 45
cabelo 45
cabide 8
cabine 26
cabine telefónica 13
cabra 36
cachecol 22
cachorro 44
cadeira 10
cadeira de praia 39
cadeira de rodas 25
caderno 14
café 13
cair 55
cais 26
caixa 15
caixa de correio 26
caixa de ferramentas . . 27
caixa registadora 21
caixote do lixo 12
calças 22
calções 23
calculadora 19
cama 8
camelo 35
camião 13
caminho 40
camionista 47
camisa de dormir 23
cana de pesca 40
canalizador 47
canário 44
candeeiro 8, 11
candeeiro de rua 12

caneta 14
canguru 34
canoa 39
canos 13
cantar 55
cantil 40
cantor 47
cantora 47
cão 44
capacete de protecção . 29
capota 27
caracol 33
caranguejo 39
caravana 41
carne 20
carrinho de bebé 25
carrinho de mão 28
carris 26
carro 12
carro da polícia 12
carro de bagagem . . . 26
carro de compras 20
carro de corrida 16
carro dos bombeiros . . 13
carroça 36
carruagem-restaurante . 26
carruagens 26
cartão de melhoras 25
cartaz 25
carteiro 47
cartola 50
casa de banho 5
casaco de lã 23
casota do cão 5
cassete de vídeo 11
castanho 52
castelo de areia 38
castor 35
catorze 52
cauda 30
cavalo 37
CD-ROM 19
cebola 20
cegonha 36
celeiro 37
cem 53
cenoura 20

cerca 5
cereais 20
cerejas 21
cerveja 18
cesto 20
cesto dos papéis 15
chaleira 6
chaminé 5, 6
champô 9
chapéu 22
chapéu-de-chuva 12
chapéu de palha 39
chapéu-de-sol 38
charco 37
chave 19
chave de fendas 27
chave-inglesa 27
chávenas 7
cheio 57
chinelos 8
chorar 55
churrasco 41
chuva 43
chuveiro 9
ciclismo 48
ciclista 32
cientista 46
cilindro 53
cimento 28
cinco 52
cinema 12
cinquenta 53
cinto 22
cinto de segurança 27
cinzento 52
círculo 53
cisne 33
claro 57
cliente 21
coala 34
cobra 35
coelho 36, 44
cofre 19
cogumelos 21
cola 15
colar 22, 55
colchão insuflável 39

colete 23
colete salva-vidas 31
colher 7
colunas altifalantes 10
comboio 26
comboio
    de mercadorias 26
comer 54
compasso 14
compota 18
comprimidos 24
computador 14
conchas 38
cone 53
copos 7
corda 31
cordas 50
cor-de-laranja 52
cor-de-rosa 52
corneta 17
corredor 33
correr 55
corrida 49
cortar 54
cortina 25
coruja 41
costas 45
cotovelo 45
couve 21
cozinha 5
cozinhar 54
creme protector 39
criança 33
crocodilo 34
cubo 53

D

dançar 55
debaixo 57
dedos 45
degraus 13
dentes 45
dentista 47
descer 54
desenhador 46
desenho 14

despertador 8
detergente 7
dez 52
dezanove 52
dezasseis 52
dezassete 52
Dezembro 51
dezoito 52
diferente 57
dinheiro 21
direita 57
discos compactos 10
disquete 19
documentos 19
dois 52
domingo 51
dormir 55
doze 52
duas e um quarto 51
duro 56

E

ecrã 19
electricista 46
elefante 35
elevador 25
em baixo 56
em cima 56
ementa 18
empregado de mesa . . . 18
empurrar 54
encher 54
enfermeira 24
entornar 55
entrada 5
entrar 54
envelopes 19
equilibrista 50
equitação 49
ervilhas 20
escada de mão 12
escavadora 12
escola 12
escorrega 32
escotilha 31
escova 7

escova de dentes 9
escrever 54
escuro 57
esfera 53
esferográficas 19
esfregona 7
esgrima 49
espantalho 37
esparguete 18
espelho 9
espelho retrovisor 27
espirrar 54
esponja 9
esquadro 14
esquerda 57
esquiar 55
esquilo 41
estábulo 36
estação de serviço 13
estante 19
estátua 13
estetoscópio 24
estojo 14
estrela 53
estrela-do-mar 38
estudar 54
etiquetas 21
expositor de postais . . . 26
extintor 27

F

faca 7
fantoche 17
farinha 21
faróis 27
farol 31
fato 23
fato-de-banho 23
fechado 57
feijões 21
feio 56
feliz 56
feno 36
ferro de engomar 7
Fevereiro 51
figos 20

60

filha 4
filho 4
fios eléctricos 28
fita-cola 15
flamingo 35
floresta 41
foca 34
fogão 6
fogão de campismo . . . 41
fogueira 40
foguetão 16
foice 37
folhas 32
fonte 12, 33
fotocopiadora 19
fotógrafo 47
frigideira 7
frigorífico 7
frio 57
fruta 16
fruteira 11
fumo 5
furador 19
futebol 48

G

gabardina 22
gaiola 44
gaivota 31
galinha 36
galinheiro 37
galo 37
ganso 37
garagem 5
garfo 7
garrafa 6
garrafeira 6
gatinho 44
gato 44
gaveta 7
gaze 25
geada 43
gelado 18
geleira 39
gelo 43
gémeos 4

gesso 24
ginástica 48
girafa 34
giz 15
globo terrestre 14
gordo 56
gorila 35
gorro 22
gráfico 24
grande 56
gravata 23
grua 28
guardanapo 18
guaxinim 35
guiar 55
guindaste 31
guitarra 17

H

hamster 44
hélice 30
helicóptero 30
hipopótamo 35
holofotes 50
hóquei em patins 49
horário 26
hospedeira 30
hotel 13

I

igreja 13
igual 57
ilha 39
impressora 19
interruptor 8
Inverno 43
iogurte 21
irmã 4
irmão 4

J

Janeiro 51
janela 5
jardim 5
jardineiro 32

jarra de flores 11
jarro de sumo 10
joaninha 40
joelho 45
jogo electrónico 16
jornais 24
jornal 10
judo 48
juiz 47
Julho 51
Junho 51

K

karaté 49

L

lábios 45
laço 17, 22
lagarto 40
lago 33
lançar 55
lanterna 40
lápis 15
laranja 11
lareira 11
lata de conservas 21
lata de tinta 28
lava-loiças 6
lavatório 9
leão e crias 34
leite 44
lenço 23
lençol 8
lenços de papel 24
lenhador 46
lento 56
leopardo 35
ler 54
letreiro 21
libélula 41
ligadura 24
limões 20
limonada 16
limpo 57
lista telefónica 19
livro 14

livros 11
lobo 34
locomotiva 26
longe 57
losango 53
lua 42
luvas 22
luzes de aterragem 30

M

maçã 11
macaco 35
macio 56
mãe 4
mágico 50
magro 56
Maio 51
mala 23
malabarista 50
manequim 23
manga de vento 30
mangueira 32
manteiga 18
mão 45
máquina de bilhetes . . . 26
máquina de filmar 16
máquina
    de lavar roupa 6
máquina fotográfica . . . 17
maquinista 26
mar 38
marcadores 15
Março 51
marco do correio 12
marido 4
martelo 29
martelo pneumático . . . 12
mastro 31
mau 56
mecânico 27, 47
médica 47
medicamento 24
médico 25
meias 23
meio-dia 51
melões 21

mercado 13
mergulho 48
mesa 10
mesa de cabeceira 8
microfone 50
mil 53
milhão 53
milho 20
mineiro 46
mochila 14
moinho de vento 41
moldura 11
mole 56
molhado 56
monociclista 50
montanha 41
montra 23
morango 20
mosca 40
motociclismo 49
motor 27
motorizada 13
muito 57
muletas 25
mulher 4
músico 47

N

nadador 39
nariz 45
natação 49
navio 38
neblina 43
neve 43
nevoeiro 43
ninho 36, 40
nove 52
novelo de lã 10
Novembro 51
noventa 53
novo 57
nuvens 42

O

óculos de mergulho . . . 39
óculos de sol 38

oitenta 53
oito 52
oleiro 47
olho 45
ombro 45
ondas 39
onze 52
orelha 45
orvalho 42
ouriço-cacheiro 40
Outono 43
Outubro 51
ouvir 55
oval 53
ovelha 36
ovo 20

P

pá 29, 38
pá do lixo 7
paciente 25
padeiro 47
pai 4
paleta 14
palhaço 16
palhinhas 17
palmeira 38
panda 34
panela 6
pano do pó 6
pantera negra 34
pantufas 25
pão 10
papagaio 44
papel 15
papel higiénico 9
pára-brisas 27
pára-choques 27
parafusos 27
parapente 48
partir 55
passadeira
    de peões 13
passageiros 26
passaporte 30
pássaros 32

passeio 13
pasta 19
pasta de dentes 9
patinho 33
patins 33
pato 33
pato de borracha 9
pé 45
pedreiro 29
peito 45
peixe 18, 31, 44
pelicano 35
penso rápido 24
pepino 21
pequeno 56
peras 20
periquito 44
perna 45
perto 57
peru 37
pesca 48
pescador 31
pescoço 45
pêssegos 20
picareta 28
pijama 8
piloto 30, 46
pimenta 11
pimentos 21
pincel 14
pinguim 35
pinha 41
pintainhos 36
pintor 46
pipocas 50
piquenique 32
pirilampo 40
pista 30
planta 14
pneu 27
poça de água 43
pocilga 37
poleiro 44
polícia 12, 46
poltrona 10
ponte 40
porco 37

porta 10
postais 26
pouco 57
prancha à vela 39
prateleiras 11
pratos 6
preços 20
prédio 12
pregos 29
presente 17
presunto 18
preto 52
Primavera 42
primeiro 56
primos 4
procurar 55
professor 14
programador 46
público 50
pudim 17
pulseira 22
puxar 55
puzzle 15

Q

quadrado 53
quadro 10
quadro negro 15
quarenta 53
quarta-feira 51
quarto 5
quatro 52
queda de água 41
queijo 11
queixo 45
quente 57
quinta-feira 51
quinze 52
quiosque 26
quiosque de revistas . . 13

R

rã 32
radar 30
radiografia 25
râguebi 48

ramo de flores 12
rápido 56
raqueta 49
rato 44
realizador 46
rebuçados 17
recortes 15
rectângulo 53
rede 49
rede de pesca 31
régua 14
régua de altura 25
relâmpagos 42
relógio 6
relógio de pulso 22
relva 33
remo 31
revisor 26
revista 10
revistas 24
rinoceronte 35
rio 40
rir 55
robô 17
rochas 38
roda 27
rolo da massa 7
roupão 25
roupeiro 8

S

sábado 51
sabonete 9
saco das compras 21
saia 22
sair 54
sal 10
sala de estar 5
sala de jantar 5
salada 18
salsichas 18
saltar 55
salto em altura 49
saltos para a água 49
sandálias 23
sandes 16

sanita 9
sapatos 22
sapo 41, 44
sarjeta 13
seco 56
secretária 15, 19
segunda-feira 51
seis 52
seixos 38
sela 37
semáforo 12
sementes 37
seringa 25
serrote 29
sessenta 53
sete 52
Setembro 51
setenta 53
sexta-feira 51
sinal de trânsito 12
skate 33
sobe-e-desce 32
sobrancelha 45
sobre 57
sobremesas 18
sobretudo 23
sofá 10
sol 42
sopa 18
sótão 5
subir 54
sujo 57
sumo 17

T

tábua de engomar 7
tábuas de madeira 29
tabuleiro 6
tachas 15
taco 48
tambor 8
tapete 8
tartaruga 44
táxi 13

teatro de fantoches . . . 17
teclado 19
telefone 10
telescópio 38
televisão 10
telhado 5
telhas 28
tenda de campismo . . . 40
tenda de circo 50
ténis 23, 49
ténis de mesa 49
terça-feira 51
termómetro 24
tesoura 15
texugo 41
tia 4
tigre 35
tijolos 29
tintas 15
tio 4
toalha 9
toalha de mesa 10
toalha de praia 38
tomada
  de electricidade 11
tomate 20
torneira 9
torradeira 7
torre de controlo 30
tractor 36
trapezista 50
travesseiro 8
trem de aterragem 30
três 52
três e meia 51
treze 52
triângulo 53
triciclo 32
trigo 36
trinta 53
triste 56
tronco 40
t-shirt 22
tubarão 34

tubo de escape 27
turbina 30

U

último 56
um 52
um quarto para as seis . 51
urso de peluche 8
urso polar 34
uvas 11

V

vaca 36
vagão de carvão 26
vara 50
varanda 5
varinha mágica 50
vaso 5, 6
vassoura 7
vazio 57
veado 41
vela 31
velas 17
velho 57
vento 42
Verão 42
verde 52
vermelho 52
vestido 22
veterinário 47
videogravador 10
vinagre 18
vinho 18
vinte 53
volante 27
voleibol 49

W

windsurf 48

Z

zebra 34